VERRINES & CUILLÈRES

LAROUSSE

21 RUE DU MONTPARNASSE 75283 PARIS CEDEX 06

SOMMAIRE

Le goût du fenouil est ici adouci par la cuisson et par la crème de riz.

Verrines à la crème de fenouil

POUR 12 VERRINES
PRÉPARATION : 15 MIN
CUISSON : 30 MIN ENVIRON

> 1 gros bulbe de fenouil
> 60 cl de bouillon de volaille
> 1 poignée de crêpes dentelles salées
> 15 cl de crème de riz (dans les épiceries bio)
> 2 cuill. à soupe de graines de moutarde (dans les épiceries bio)
> sel et poivre du moulin

1. Ôtez les feuilles du fenouil, puis coupez le bulbe en petits morceaux. Mettez ceux-ci dans une casserole, couvrez-les de bouillon de volaille et portez à ébullition. Laissez cuire environ 5 minutes, puis baissez le feu et poursuivez la cuisson pendant 20 minutes.

2. Cassez grossièrement les crêpes dentelle. Dans le bol d'un robot, réunissez le fenouil et la crème de riz, salez, poivrez, puis mixez le tout. Répartissez la préparation dans les verrines, puis, juste avant de servir, parsemez-la des graines de moutarde et des crêpes apéritives.

Avec ses couleurs tendres, ces petites crèmes feront de l'effet sur une jolie table.

Crème de betterave au yaourt

POUR 12 VERRINES

PRÉPARATION : 15 MIN

> 550 g de betteraves cuites
> 4 yaourts à la grecque
> 2 cuill. à café d'huile de noisette
> 20 g de noisettes concassées
> 1 cuill. à soupe d'huile d'olive
> 3 cuill. à soupe de crème fraîche épaisse
> sel et poivre du moulin

1. Coupez 500 g de betterave en morceaux, puis mettez-les dans le bol d'un robot avec les yaourts et l'huile de noisette, puis mixez le tout. Salez, poivrez et mixez à nouveau jusqu'à obtention d'une préparation bien lisse.

2. Détaillez le reste des betteraves en dés de 1 cm de côté, mélangez-les dans un bol avec les noisettes concassées et l'huile d'olive, puis salez et poivrez.

3. Répartissez la crème de betterave dans des verrines, puis déposez un peu de crème fraîche. Parsemez le tout de noisettes et de dés de betterave, donnez un tour de moulin à poivre et réservez au frais jusqu'au moment de servir.

Dans ce velouté plein de douceur, les saveurs se mélangent de façon très harmonieuse.

Velouté de lentilles corail à la citronnelle

POUR 12 VERRINES

PRÉPARATION : 10 MIN

CUISSON : 30 MIN

> 1 tige de citronnelle
> 2 cuill. à soupe d'huile d'olive + pour servir
> 150 g de lentilles corail
> 1 cuill. à café de gingembre haché
> 40 cl de lait de coco
> 30 cl de bouillon de volaille
> 1 poignée de graines germées de poireaux
> sel et poivre du moulin

1. Fendez la tige de citronnelle en deux dans le sens de la longueur. Dans une casserole, faites chauffer l'huile d'olive, puis ajoutez les lentilles corail, la tige de citronnelle et le gingembre. Recouvrez du lait de coco et du bouillon, portez à ébullition, puis baissez le feu en laissant mijoter pendant 25 minutes.

2. Mixez la préparation à l'aide d'un robot, jusqu'à obtention d'une purée onctueuse, puis salez et poivrez à votre convenance.

3. Répartissez le velouté dans des verrines. Parsemez de graines germées de poireaux, arrosez d'un filet d'huile d'olive et servez.

Une petite touche de wasabi et le gaspacho prend tout de suite une nouvelle allure. Une recette indémodable pour profiter de tous les bienfaits des tomates.

Gaspacho au wasabi

POUR 12 VERRINES

PRÉPARATION : 10 MIN

> 1 kg de tomates cœur de bœuf
> 1/4 de poivron rouge
> 1 poignée de câpres
> 100 g d'olives vertes dénoyautées
> 2 cornichons
> 1 cuill. à café de wasabi
> 1 1/2 cuill. à café d'huile d'argan alimentaire
> quelques glaçons (facultatif)
> sel du moulin

1. Coupez les tomates en quatre, puis épépinez-les. Ôtez le cœur du poivron et détaillez la chair en petits dés de 2 cm de côté.

2. Dans le bol d'un blender, réunissez les tomates, le poivron, les câpres, les olives, les cornichons et le wasabi, puis mixez soigneusement le tout jusqu'à obtention d'une préparation lisse. Si le gaspacho est trop épais, ajoutez un peu d'eau.

3. Versez l'huile d'argan juste avant de servir, ajoutez quelques glaçons, au besoin, puis répartissez le gaspacho dans des verrines et servez sans attendre.

Pour cette recette, vous pouvez utiliser des châtaignes fraîches, surgelées, en bocaux... Si vous utilisez des châtaignes sèches, faites-les tremper plusieurs heures - voire une nuit -, puis faites-les cuire de 25 à 30 minutes.

Velouté de châtaigne

POUR 12 VERRINES
PRÉPARATION : 15 MIN
CUISSON : 45 MIN

- > 3 oignons
- > 2 cuill. à soupe d'huile d'olive
- > 10 cl de vin blanc
- > 1 cuill. à café d'origan en poudre
- > 1 kg de châtaignes pelées et cuites
- > 50 cl de bouillon de légumes
- > 1 pincée de noix de muscade en poudre
- > 1 pincée de garam masala (dans les épiceries orientales)
- > 1 poignée d'amandes effilées
- > sel et poivre du moulin

1. Hachez les oignons finement. Dans une poêle, faites chauffer l'huile d'olive, puis faites revenir les oignons environ 10 minutes, jusqu'à ce qu'ils aient fondu. Versez le vin blanc, puis laissez évaporer. Parsemez d'origan et poursuivez la cuisson 5 minutes. Ajoutez les châtaignes et le bouillon de légumes, puis laissez cuire à feu doux pendant 15 minutes.

2. Mixez la préparation à l'aide d'un robot, jusqu'à obtention d'une purée onctueuse. Versez-la dans la poêle, saupoudrez d'épices et faites chauffer à feu doux 5 minutes.

3. Dans une poêle antiadhésive, faites griller les amandes. Répartissez la préparation dans les verrines. Parsemez des amandes grillées, puis servez.

Crème de patate douce au curry et pancetta grillée

POUR 12 VERRINES

PRÉPARATION : 15 MIN

CUISSON : 40 MIN

> 600 g de patates douces
> 1 grosse échalote
> 10 g de beurre
> 4 brins de thym frais
> 20 cl de crème fraîche liquide
> 1 cuill. à café de curry en poudre
> 6 fines tranches de pancetta
> sel et poivre du moulin

1. Épluchez les patates douces et détaillez-les en rondelles. Hachez finement l'échalote. Dans une sauteuse, faites fondre le beurre à feu doux et faites dorer l'échalote. Ajoutez les rondelles de patate douce, puis faites-les revenir 5 minutes. Couvrez d'eau et ajoutez le thym frais. Salez, poivrez, puis laissez cuire 20 minutes à couvert.

2. Retirez les brins de thym et placez le contenu de la sauteuse dans un robot. Ajoutez la crème liquide, le curry en poudre, salez, poivrez, puis mixez le tout jusqu'à obtention d'une crème bien lisse.

3. Coupez les tranches de pancetta en deux, puis faites-les griller dans une poêle antiadhésive.

4. Dans une casserole, réchauffez la crème de patate douce à feu doux. Répartissez-la dans les verrines. Garnissez de pancetta grillée et servez.

Mousse d'asperge et œufs mimosa

POUR 12 VERRINES
PRÉPARATION : 25 MIN
CUISSON : 30 MIN

> 300 g d'asperges fraîches ou surgelées
> 10 cl de crème fraîche liquide bien froide
> 4 œufs
> 1/2 bouquet de persil plat
> 3 cuill. à soupe de mayonnaise
> 2 cuill. à soupe de jus de citron
> sel et poivre du moulin

1. Épluchez les asperges, puis coupez 12 pointes de 6 cm de long. Détaillez les queues et les pointes restantes en dés de 2 cm de côté. Dans une casserole d'eau bouillante salée, faites cuire les pointes d'asperges 5 minutes. Retirez-les de l'eau de cuisson à l'aide d'une écumoire et réservez. Ramenez l'eau à ébullition et faites cuire les dés d'asperges environ 15 minutes, jusqu'à ce qu'ils soient bien tendres. Égouttez-les et laissez-les tiédir.

2. Dans le bol d'un robot, mixez les dés d'asperges en incorporant la crème liquide au fur et à mesure. Salez, puis réservez.

3. Portez une casserole d'eau à ébullition, puis placez-y les œufs et laissez-les durcir 6 minutes. Refroidissez-les à l'eau froide et écalez-les, puis hachez-les grossièrement. Hachez le persil plat et mélangez-le aux œufs avec la mayonnaise et le jus de citron, puis salez et poivrez.

4. Répartissez la mousse d'asperge dans des verrines, recouvrez du mélange aux œufs et décorez d'une pointe d'asperge.

Mousseline de topinambour et œufs de caille

POUR 12 CUILLÈRES
PRÉPARATION : 30 MIN
CUISSON : 30 MIN

> 250 g de topinambour
> le jus de 1 citron
> 50 cl de bouillon de volaille
> 50 g de beurre
> 12 œufs de caille
> 70 cl d'eau glacée
> 1 pincée de fleur de sel
> 3 cuill. à soupe d'huile de truffe ou d'huile de noix
> 1 truffe
> petites pousses de betterave

1. Épluchez les topinambours avec un couteau Économe. Arrosez-les du jus de citron. Dans une casserole, mettez le bouillon de volaille à chauffer, puis ajoutez les topinambours et faites-les cuire pendant 20 minutes, jusqu'à ce qu'ils soient tendres. Égouttez-les et mixez-les au robot, jusqu'à obtention d'une purée. Faites chauffer celle-ci à feu doux et travaillez-la à la spatule pour qu'elle soit onctueuse en incorporant le beurre morceau par morceau. Ôtez du feu et laissez refroidir.

2. Portez une casserole d'eau à ébullition. Placez-y les œufs et laissez-les durcir 4 minutes à petite ébullition. Refroidissez les œufs dans un saladier d'eau glacée, puis écalez-les délicatement.

3. Remplissez une poche à douille de mousseline de topinambour. Dressez-en une noix sur chaque cuillère, puis disposez un œuf de caille sur le dessus. Saupoudrez de fleur de sel et arrosez d'une goutte d'huile de truffe. Rapez la truffe en fins copeaux, décorez-en chaque cuillère, ainsi que de petites pousses de betterave, puis servez.

Panna cotta à la courge

POUR 12 VERRINES
PRÉPARATION : 20 MIN
RÉFRIGÉRATION : 3 H
CUISSON : 30 MIN

> 300 g de courge
> 10 g de beurre
> 1 cuill. à café de cardamome en poudre
> sel et poivre du moulin

Pour la panna cotta

> 3 feuilles de gélatine
> 30 cl de crème fraîche liquide
> 40 cl de lait
> 3 branches de romarin

1. Préparez la panna cotta. Dans un bol d'eau, placez la gélatine afin de la ramollir. Dans une casserole, versez la crème liquide et le lait, salez, poivrez, puis ajoutez les branches de romarin. Portez à ébullition. Filtrez la préparation chaude, puis ajoutez-y la gélatine égouttée. Mélangez bien, rectifiez l'assaisonnement, si nécessaire. Répartissez dans les verrines et réservez au frais au moins 3 heures.

2. Épluchez la courge et détaillez-la en dés de 2 cm de côté. Dans une sauteuse, faites fondre le beurre à feu doux, puis faites revenir les dés de courge. Lorsqu'ils commencent à dorer, couvrez d'eau, salez, poivrez, puis laissez mijoter environ 20 minutes jusqu'à ce que la courge s'écrase facilement à la fourchette. Placez les dés de courge dans le bol d'un robot avec la moitié du jus de cuisson, la cardamome en poudre et mixez le tout jusqu'à obtention d'un coulis onctueux. Si la préparation est trop épaisse, incorporez un peu de jus de cuisson, puis rectifiez l'assaisonnement.

3. Versez le coulis de courge sur la panna cotta et servez sans attendre avec des gressins ou des petites tuiles au parmesan. Vous pouvez servir le coulis froid ou tiède selon votre goût.

Purée de champignons et tuiles de parmesan

POUR 12 VERRINES

PRÉPARATION : 30 MIN

CUISSON : 30 MIN

> 500 g de champignons de Paris
> 30 g de beurre
> 12 fines tranches de lard fumé
> 200 g de parmesan
> 250 g de crème fraîche épaisse
> sel et poivre du moulin

1. Préchauffez le four à 120 °C (therm. 4). Lavez les champignons sous un filet d'eau froide et coupez-les en lamelles. Dans une poêle, faites fondre le beurre, puis faites revenir les champignons. Salez, poivrez et laissez cuire encore 20 minutes, jusqu'à ce que leur eau soit évaporée.

2. Coupez les tranches de lard dans la longueur, disposez-les sur une feuille de papier sulfurisé et enfournez pour 20 minutes. Râpez le parmesan. Dans une poêle à feu doux, disposez-le en petit tas, puis laissez-le fondre et dorer légèrement, jusqu'à ce qu'il forme des tuiles. Retirez celles-ci de la poêle et laissez-les durcir en leur donnant une forme courbe.

3. Mixez les champignons au robot jusqu'à obtention d'une purée, puis laissez égoutter dans une passoire. Dans un saladier, mélangez la purée de champignons avec la crème fraîche, puis répartissez la préparation dans les verrines. Réservez au frais. Servez avec les tuiles et le lard.

Salade de blé au yaourt et aux légumes frais

POUR 12 VERRINES
PRÉPARATION : 25 MIN
CUISSON : 10 MIN

> 150 g de blé précuit
> 1/2 concombre
> 2 tomates roma
> 1/2 botte de radis
> 4 yaourts brassés nature
> 1 cuill. à soupe de vinaigre balsamique
> le jus de 1 citron
> 2 cuill. à soupe d'huile d'olive
> 1/2 bouquet de ciboulette
> sel et poivre du moulin

1. Portez à ébullition une grande casserole d'eau salée, puis faites cuire le blé pendant 10 minutes. Égouttez-le, puis passez-le sous l'eau froide pour stopper la cuisson. Réservez.

2. Lavez les légumes, puis détaillez le concombre et les tomates en petits dés de 1 cm de côté. Retirez les fanes des radis et détaillez-les en très fines rondelles.

3. Dans un saladier, mélangez les yaourts avec le vinaigre balsamique, puis salez et poivrez. Répartissez cette préparation dans le fond des verrines.

4. Dans un autre saladier, mélangez le blé avec les dés de tomates et de concombre, les rondelles de radis, le jus de citron et l'huile d'olive. Salez, poivrez, puis ciselez la ciboulette sur la salade. Rectifiez l'assaisonnement, si nécessaire, et répartissez cette salade sur le yaourt. Placez au frais jusqu'au moment de servir.

Le brocciu est un fromage frais d'origine corse qu'on ne trouve que de novembre à mai. Vous pouvez le remplacer par sa cousine, la brousse, originaire de Provence.

Tartare de tomates au brocciu et au miel

POUR 12 VERRINES

PRÉPARATION : 20 MIN

> 6 tomates roma
> 3 cuill. à soupe d'huile d'olive + pour servir
> 400 g de brocciu ou de brousse
> 3 cuill. à soupe de miel
> 1 barquette de germes de poireau
> sel et poivre du moulin

1. Portez à ébullition une grande casserole d'eau salée. Entaillez en croix la base des tomates, puis plongez-les dans l'eau bouillante 1 minute. Égouttez-les, passez-les sous l'eau froide, puis pelez-les, épépinez-les et détaillez-les en dés de 1 cm de côté.

2. Dans un bol, mélangez les tomates avec l'huile d'olive, salez, poivrez, puis réservez.

3. Dans chaque verrine, déposez 2 cuillerées à soupe bombées de brocciu ou de brousse, arrosez d'un filet d'huile d'olive, puis versez un peu de miel. Salez, poivrez et recouvrez le fromage de tartare de tomate. Rectifiez l'assaisonnement, si nécessaire. Disposez 1 pincée de germes de poireaux et servez.

Ajoutez à cette recette ce que bon vous semblera : tomates cœur de bœuf, mozzarella di bufala ou encore basilic frais, tout ce qui selon vous donnera un petit air de « dolce vita » à vos cuillères ! Pour un résultat encore plus élégant déposez la ricotta dans les cuillères à l'aide d'une poche à douille cannelée.

Cuillères italiennes

POUR 12 CUILLÈRES
PRÉPARATION : 20 MIN

> 200 g de ricotta
> 4 cuill. à soupe d'huile d'olive + pour servir
> 1 cuill. à soupe de vinaigre balsamique
> 6 tomates cerises
> 6 pétales de tomates confites
> 2 cuill. à soupe de pignons
> 2 cuill. à café de parmesan râpé
> sel et poivre du moulin

1. Dans un bol, mélangez la ricotta avec 4 cuillerées à soupe d'huile d'olive. Salez, poivrez et ajoutez le vinaigre balsamique.

2. Détaillez les tomates cerises et confites en dés de 1 cm de côté. Mettez les pignons à griller dans une poêle antiadhésive.

3. Garnissez les cuillères de la préparation à la ricotta, puis parsemez de dés de tomates cerises et confites, de pignons grillés et de parmesan râpé. Rectifiez l'assaisonnement, si nécessaire, et arrosez chaque cuillère d'un trait d'huile d'olive. Réservez au frais jusqu'au moment de servir.

Voici une recette pleine de vitamines : vitamine K pour l'avocat, vitamines A et C pour la tomate. Un véritable cocktail de remise en forme !

Verrines à l'avocat et aux deux tomates

POUR 12 VERRINES
PRÉPARATION : 20 MIN

> 2 avocats bien mûrs
> 1 oignon blanc
> le jus de 1 citron vert
> le jus de 1/2 citron
> 1 cuill. à café de piment de Cayenne
> quelques feuilles de coriandre
> quelques feuilles de menthe + pour décorer
> 200 g de tomates
> 1 cuill. à soupe de paprika
> 4 cuill. à soupe d'huile d'olive
> 120 g de tomates mi-sèches
> une poignée de germes de soja
> sel et poivre du moulin

1. Coupez les avocats en deux, retirez le noyau et prélevez la chair à l'aide d'une cuillère. Taillez l'oignon blanc en quartiers. Dans le bol d'un robot, réunissez l'avocat, l'oignon blanc, le jus des citrons et le piment de Cayenne, puis mixez le tout. Salez et réservez au frais.

2. Ciselez les feuilles de coriandre et de menthe. Coupez les tomates en petits dés et mélangez-les délicatement avec le paprika, l'huile d'olive et les aromates. Salez et poivrez.

3. Détaillez les tomates mi-sèches en petits dés. Disposez dans chaque verrine une couche du mélange à la tomate, puis une couche de celui à l'avocat et terminez par les dés de tomates mi-sèches. Parsemez de feuilles de menthe et de germes de soja. Servez bien frais.

Une association de saveurs sucrées-salées tropicales !

Cuillères de pois chiches et de boudin noir

POUR 12 CUILLÈRES
PRÉPARATION : 10 MIN
CUISSON : 15 MIN

> 80 g de pois chiches en bocal ou en conserve
> 40 g de raisins blonds
> 1/2 oignon
> 140 g de boudin noir
> 2 cuill. à soupe d'huile d'olive
> 1/2 cuill. à café de cumin
> sel et poivre du moulin

1. Rincez et égouttez les pois chiches. Faites gonfler les raisins dans un bol d'eau chaude.

2. Émincez l'oignon et coupez le boudin noir en morceaux. Dans une poêle, faites chauffer l'huile d'olive et mettez l'oignon à revenir pendant 5 minutes à feu moyen. Saupoudrez de cumin, ajoutez le boudin noir, puis prolongez la cuisson de 5 minutes. Incorporez les raisins égouttés et les pois chiches. Salez, poivrez et prolongez encore la cuisson de 2 minutes.

3. Répartissez la préparation dans les cuillères, puis servez.

Sushis de foie gras à la mangue

POUR 12 VERRINES

PRÉPARATION : 15 MIN

CUISSON : 25 MIN

> 10 cl de vinaigre balsamique
> 25 cl de riz rond japonais
> 3 cuill. à soupe de vinaigre de riz
> 1 mangue un peu ferme
> 200 g de foie gras mi-cuit ou de bloc de foie gras
> 1 poignée de graines de sésame
> poivre du moulin ou poivre de Sichuan

1. Dans une petite casserole, faites bouillir le vinaigre balsamique jusqu'à ce qu'il réduise de moitié et commence à caraméliser, puis laissez-le refroidir.

2. Dans une casserole à fond épais, versez le riz et 40 cl d'eau. Portez à ébullition, puis réduisez à feu très doux, couvrez et laissez gonfler pendant environ 15 minutes, jusqu'à ce qu'il ait absorbé toute l'eau. Étalez le riz chaud sur une grande assiette, puis incorporez le vinaigre de riz à l'aide d'une spatule.

3. Pelez et dénoyautez la mangue. Découpez la chair ainsi que le foie gras en petits dés de 2 cm de côté, puis mélangez-les délicatement. Répartissez le riz froid dans des verrines et garnissez du mélange foie gras-mangue. Arrosez d'un filet de vinaigre réduit, poivrez et saupoudrez de graines de sésame.

N'hésitez pas à remplacer le canard par de la pintade.

Confit de canard au chutney d'abricot

POUR 12 CUILLÈRES
PRÉPARATION : 15 MIN
CUISSON : 50 MIN

- > 1 cuisse de canard confite
- > 1 cuill. à soupe d'amandes en poudre
- > 1 poignée d'amandes effilées
- > sel et poivre du moulin

Pour le chutney d'abricot

- > 1 pincée de safran
- > 8 abricots frais ou surgelés
- > 2 cuill. à soupe de vinaigre de cidre
- > 1 morceau de gingembre de 1 cm de long
- > 2 cuill. à soupe de miel

1. Préparez le chutney d'abricot. Réhydratez le safran dans un peu d'eau tiède. Dénoyautez les abricots et coupez-les en dés de 2 cm de côté, puis mettez-les dans une casserole avec le vinaigre, le gingembre, le miel et le safran. Faites cuire à feu doux pendant environ 15 minutes, jusqu'à ce que les abricots soient bien fondants, puis laissez refroidir.

2. Dans une poêle, faites cuire la cuisse de canard dans sa graisse. Salez, poivrez, ajoutez les amandes en poudre, puis laissez mijoter 15 minutes. Découpez le canard en morceaux.

3. Répartissez le chutney d'abricot dans les cuillères, puis ajoutez les morceaux de canard confit. Parsemez d'amandes effilées et servez.

Préparez cette recette au dernier moment : la viande est fragile et le vinaigre de framboise risque de la cuire et d'en changer le goût.

Rémoulade au rosbif et aux petites pousses

POUR 12 VERRINES

PRÉPARATION : 10 MIN

> 100 g de rosbif
> 250 g de céleri rémoulade tout prêt
> 1 poignée de petites pousses d'alfalfa, de betterave ou de fenouil

Pour la vinaigrette

> 4 cuill. à soupe d'huile de tournesol
> 2 cuill. à soupe de vinaigre de framboise
> sel et poivre du moulin

1. Découpez le rosbif en lanières. Placez 1 cuillerée de céleri rémoulade dans chaque verrine, puis disposez par-dessus quelques lanières de rosbif et des petites pousses d'alfalfa, de betterave ou de fenouil.

2. Préparez la vinaigrette. Dans un petit bol, battez au fouet l'huile et le vinaigre, versez la sauce sur les verrines, rectifiez l'assaisonnement et servez frais.

D'origine péruvienne, le ceviche ravira les amateurs de poisson et séduira ceux qui surveillent leur ligne !

Cuillères de ceviche de cabillaud

POUR 12 CUILLÈRES
PRÉPARATION : 15 MIN
MARINADE : 1 H

- > 1 oignon rouge
- > 1 piment rouge
- > 1/2 bouquet de coriandre
- > 2 tomates
- > 250 g de cabillaud frais
- > le jus de 2 citrons verts
- > 3 cuill. à soupe d'huile d'olive
- > sel et poivre du moulin

1. Épluchez l'oignon, épépinez le piment, puis émincez-les finement. Ciselez la coriandre. Coupez les tomates en petits dés, puis épépinez-les. Mettez le tout dans un saladier et mélangez.

2. Découpez le cabillaud en petits morceaux. Ajoutez-les dans le saladier, arrosez de jus de citron vert et d'huile d'olive, puis salez et poivrez. Laissez mariner au frais pendant 1 heure.

3. Répartissez la préparation dans les cuillères et servez.

Si vous ne trouvez pas de pousses de betterave, prenez des pousses d'alfalfa ou un mélange de pousses diverses.

Mousse de saumon fumé et purée de concombre

POUR 12 VERRINES
PRÉPARATION : 20 MIN
RÉFRIGÉRATION : 30 MIN

> 10 cl de crème fraîche liquide
> 1 petit concombre non pelé
> 1 pincée de baies roses
> 280 g de saumon fumé
> 100 g de pousses de betterave
> sel du moulin

1. Dans un saladier, versez la crème liquide et laissez-la reposer au froid pendant 30 minutes.

2. Coupez le concombre en morceaux, puis hachez ceux-ci au robot. Salez, parsemez de baies roses, puis réservez.

3. Mixez le saumon fumé, jusqu'à obtention d'une purée. Fouettez la crème liquide en chantilly ferme, puis incorporez-la au saumon.

4. Répartissez le concombre dans le fond des verrines, puis garnissez de mousse de saumon. Parsemez de pousses de betterave et servez frais.

Le sésame noir est utilisé essentiellement dans la cuisine indienne, sri lankaise et chinoise. Il apporte une touche graphique à ce tartare de saumon acidulé.

Tartare de saumon à la sauce soja et au sésame noir

POUR 12 CUILLÈRES
PRÉPARATION : 15 MIN
MARINADE : 1 H

> 150 g de pavé de saumon
> 1 cuill. à soupe de sauce soja
> 2 cuill. à soupe d'huile d'olive
> le jus de 1 citron
> 1/2 bouquet de ciboulette
> 2 cuill. à soupe de graines de sésame noir
> sel et poivre du moulin

1. Retirez la peau du saumon, découpez-le en petits cubes et placez ceux-ci dans un saladier. Versez la sauce soja, l'huile d'olive et le jus de citron. Ciselez la ciboulette, ajoutez-en la moitié dans le saladier, puis assaisonnez selon votre goût. Laissez mariner 1 heure au réfrigérateur.

2. Répartissez le tartare de saumon dans des cuillères. Parsemez du reste de la ciboulette et des graines de sésame noir, puis servez.

Cette recette a l'avantage de réunir les deux grandes tendances du moment : les verrines et les sushis !

Verrines de saumon à l'avocat façon sushi

POUR 12 VERRINES

PRÉPARATION : 15 MIN

CUISSON : 20 MIN

> 150 g de riz rond japonais
> 3 cuill. à soupe de vinaigre de riz
> 300 g de filet de saumon frais
> 1/2 bouquet de ciboulette grossièrement haché
> 1 avocat un peu ferme
> 1 petit pot d'œufs de saumon

1. Dans une casserole à fond épais, versez le riz et 25 cl d'eau. Portez à ébullition, puis réduisez le feu au minimum et couvrez. Laissez gonfler le riz pendant environ 15 minutes, jusqu'à ce qu'il ait absorbé toute l'eau.

2. Étalez le riz chaud sur une grande assiette, puis incorporez délicatement le vinaigre de riz à l'aide d'une spatule. Lorsque le riz est froid, répartissez-le dans des verrines. Découpez le saumon en petits dés de 1 cm de côté et mélangez ceux-ci à la ciboulette, puis répartissez-les sur le riz. Réservez au frais.

3. Juste avant de servir, épluchez l'avocat, coupez-le en lamelles et décorez-en chaque verrine. Déposez 1 cuillerée à café d'œufs de saumon sur le dessus, puis servez.

Lentilles bicolores à la truite fumée

POUR 12 CUILLÈRES
PRÉPARATION : 15 MIN
CUISSON : 20 MIN

> 4 branches de thym
> 2 feuilles de laurier
> 65 g de lentilles corail
> 65 g de lentilles vertes
> 1 cuill. à soupe d'huile d'olive
> 1 cuill. à soupe d'huile de noix
> 1 filet de vinaigre de Xérès
> 1/2 cuill. à café de cumin en poudre
> 3 tranches de truite fumée
> sel et poivre du moulin

1. Portez deux casseroles d'eau à ébullition et déposez dans chacune deux branches de thym et une feuille de laurier. Dans la première, versez les lentilles corail et laissez-les cuire pendant 10 minutes. Dans la seconde, versez les lentilles vertes et laissez-les cuire de 15 à 20 minutes.

2. Égouttez-les, retirez les herbes, puis passez les lentilles rapidement sous l'eau froide. Réunissez-les dans un saladier, puis assaisonnez-les avec l'huile d'olive, l'huile de noix, le vinaigre et le cumin, puis salez et poivrez.

3. Découpez chaque tranche de truite en 4 lanières. Répartissez les lentilles dans des cuillères. Déposez une lanière de truite sur le dessus en prenant soin de la rouler joliment. Rectifiez l'assaisonnement, si nécessaire, puis réservez au frais jusqu'au moment de servir.

Le haddock est en fait de l'églefin fumé. Sa chair est très moelleuse, fragile et délicatement parfumée. Prenez soin de la détacher en pétales avant de les déposer dans les cuillères.

Crumble de haddock aux noisettes

POUR 12 CUILLÈRES
PRÉPARATION : 15 MIN
CUISSON : 20 MIN

> 50 cl de lait
> 150 g de haddock
> 10 cl de crème fraîche liquide
> 30 g de noisettes concassées

Pour le crumble

> 15 g de noisettes en poudre
> 40 g de farine
> 15 g de parmesan râpé
> 35 g de beurre salé coupé en morceaux
> sel et poivre du moulin

1. Préchauffez le four à 180 °C (therm. 6). Préparez le crumble. Dans un saladier, mélangez les noisettes en poudre et la farine. Salez, poivrez et ajoutez le parmesan. Incorporez le beurre salé en morceaux, puis travaillez la pâte du bout des doigts jusqu'à obtention d'un mélange sableux. Placez-le dans un plat allant au four et enfournez pour 20 minutes, jusqu'à ce que le crumble soit bien doré.

2. Pendant ce temps, dans une casserole, versez le lait et portez doucement à ébullition. Réduisez le feu et faites pocher le haddock pendant 15 minutes. Détaillez le poisson en pétales, puis répartissez ceux-ci dans des cuillères. Arrosez de crème liquide, parsemez de noisettes concassées, puis répartissez le crumble sur le poisson. Servez aussitôt.

Voici une recette rapide et facile à réaliser, que vous pouvez faire varier en utilisant d'autres poissons, comme le maquereau ou le saumon.

Cuillères de sardines marinées

POUR 12 CUILLÈRES
PRÉPARATION : 20 MIN
MARINADE : 2 H

> 12 filets de sardines fraîches
> le jus de 3 citrons verts
> le zeste de 1 citron vert
> 2 cuill. à soupe de baies roses
> 80 g de fromage de chèvre frais
> sel du moulin

1. Coupez les filets de sardine en cubes de 1 cm de côté et mettez-les dans un bol. Recouvrez-les du jus et du zeste de citron vert. Salez et parsemez de baies roses, puis laissez mariner pendant environ 2 heures.

2. Prélevez les quartiers du citron vert, pelez-les et coupez-les en deux. Réservez le zeste de citron vert de la marinade. Garnissez les cuillères de tartare, puis déposez 1 cuillerée à café de fromage frais sur le dessus. Disposez les demi-suprêmes de citron vert ainsi que le zeste. Servez très frais.

Une salade exotique tout en couleurs et en parfums ; une explosion de saveurs qui ne laissera personne indifférent !

Salade de crabe à la tahitienne

POUR 12 VERRINES
PRÉPARATION : 35 MIN

> 1 mangue
> 1/2 ananas
> 1 noix de coco avec son eau
> 1 gros avocat
> le jus de 1/2 citron
> 1/2 concombre
> quelques feuilles de laitue
> 1 boîte de chair de crabe

Pour la vinaigrette

> 1/4 de bouquet de coriandre
> le jus de 1/2 citron vert
> 3 cuill. à soupe d'huile de tournesol
> sel et poivre du moulin

1. Épluchez la mangue, puis coupez la chair en dés de 2 cm de côté. Épluchez l'ananas et coupez-le en fines tranches. Cassez la noix de coco en deux et récupérez son eau. Râpez un peu de pulpe fraîche et réservez-la. Coupez l'avocat en deux, puis ôtez le noyau. Retirez la chair à l'aide d'une cuillère, coupez-la en morceaux, puis arrosez-la de jus de citron. Épluchez le concombre et émincez-le finement. Lavez les feuilles de laitue et coupez-les très finement. Égouttez la chair de crabe.

2. Dans un saladier, réunissez les fruits et les légumes, ajoutez la chair de crabe, puis mélangez le tout délicatement.

3. Préparez la vinaigrette. Ciselez finement la coriandre. Mélangez le jus de citron vert, l'eau de la noix de coco, l'huile de tournesol et la coriandre. Salez et poivrez.

4. Répartissez la salade dans des verrines, arrosez de vinaigrette, puis parsemez de noix de coco râpée.

Comme avec le boulghour dans un vrai taboulé libanais, il faut très peu de quinoa : la priorité est donnée à la fraîcheur des herbes.

Taboulé de quinoa aux crevettes et au concombre

POUR 24 CUILLÈRES

PRÉPARATION : 15 MIN

CUISSON : 10 MIN

REPOS : 2 H

> 50 g de quinoa
> 1 petit concombre
> 1 bouquet de menthe
> 1 bouquet de persil plat
> 1 tomate
> 4 cuill. à soupe d'huile d'olive
> le jus de 1 citron
> 300 g de petites crevettes roses cuites décortiquées
> sel du moulin

1. Rincez le quinoa à l'eau fraîche. Portez à ébullition une grande casserole d'eau salée, puis faites cuire le quinoa 5 minutes. Égouttez-le et réservez.

2. Coupez le concombre en deux dans la longueur. Épépinez-le à l'aide d'une cuillère, puis râpez-le grossièrement. À l'aide d'un couteau, ciselez les feuilles de menthe et de persil plat. Coupez la tomate en deux, puis épépinez-la. Coupez la chair en dés de 1 cm de côté. Dans un saladier, rassemblez le quinoa, les aromates et les légumes. Versez l'huile d'olive et mélangez délicatement le tout. Laissez reposer au moins 2 heures.

3. Au moment de servir, ajoutez le jus de citron et salez. Servez le taboulé dans des cuillères, surmonté des crevettes.

Aussi agréables à l'œil qu'au palais, ces verrines remporteront un franc succès auprès de vos invités.

Gaspacho vert aux écrevisses

POUR 12 VERRINES

PRÉPARATION : 15 MIN

> 2 oignons nouveaux
> 600 g de concombre
> 300 g de fenouil
> 6 cuill. à soupe d'huile d'olive
> 3 cuill. à soupe de vinaigre de Xérès
> 200 g d'écrevisses décortiquées
> sel et poivre du moulin

1. Prélevez un tronçon de 6 cm de long dans la partie verte de chaque oignon nouveau, détaillez-les en fins bâtonnets, puis placez-les dans un bol d'eau froide au réfrigérateur.

2. Lavez et essuyez le concombre et le fenouil. Coupez-les en morceaux ainsi que le reste des oignons. Égouttez les bâtonnets d'oignon et réservez.

3. Dans un blender, réunissez le concombre, le fenouil et les morceaux d'oignon avec 30 cl d'eau, l'huile d'olive et le vinaigre, puis mixez le tout. Salez et poivrez selon votre goût.

4. Répartissez la préparation dans les verrines et disposez les écrevisses. Décorez avec les bâtonnets d'oignon, puis servez.

Direction éditoriale : Véronique de Finance-Cordonnier
Édition : Marion Pipart
Direction artistique : Emmanuel Chaspoul
Réalisation : Belle Page, Boulogne
Couverture : Véronique Laporte
Fabrication : Annie Botrel

Crédits photographiques : p. 17, 34, 35, 46, 47, 56-59 : Fabrice Besse © coll. Larousse (Stylisme : Noëmie André) ; p. 22, 23, 31, 42, 43, 53 : Caroline Faccioli © coll. Larousse (Stylisme : Sabine Paris) ; p. 7, 14, 15, 21, 24-27, 29, 44, 45, 48-51 : Marie-José Jarry © coll. Larousse (Stylisme : Bérengère Abraham) ; p. 10-13, 19, 39, 55 : Massimo Pessina © coll. Larousse (Stylisme : Rosalba de Magistris) ; p. 5, 8, 9, 33, 37, 40, 41 : Amélie Roche © coll. Larousse (Stylisme : Manuella Chantepie).

L'éditeur remercie pour le prêt de linge et d'objets : ASA (www.asa-selection.com), Coming B (wwwcomingb.fr), Fleux, 39 et 52 rue sainte Croix de la Bretonnerie 75004 Paris (01 42 78 27 20), Léonardo (www.leonardo.de), Montgolfier (wwwmontgolfier.fr), Linge au Cœur (www.lingeaucoeur.com), Ressources (www.ressources-peinture.com), Emery (www.emeryetcie.com), Villa Paris (01 42 74 07 05), La Cabane de l'Ourse (www.lacabanedelourse.com), La Forge Subtile, 11 rue de l'odéon 75006 Paris (01 40 51 09 30), Mis en Demeure (www.misendemeure.com), La Maison des Rêves (www.maisondesreves.com), La Compagnie Française d'Orient et de Chine (www.cfoc.fr), Jeannine Cros (01 45 48 00 67), Clotilde Buschini (01 45 44 30 11), Caravane (www.caravane.fr), Wooden (www.woodenlist.com) et Mme Mylène Demongeot pour le prêt de la brocante (www.mylene-demongeot.fr).
Et l'éditeur remercie tout particulièrement Véronique Jean pour sa participation efficace.

ISBN : 301-0-00-000280-2

Photogravure Turquoise, Émerainville
Imprimé en Chine par Leo Paper Products
Dépôt légal : septembre 2010
304 608/01-11011872-avril 2010